小蝌蚪长大了

献给我的女儿爱丽丝：成长吧，爱丽丝，快快长大！

——G. F.

图书在版编目（CIP）数据

小蝌蚪长大了 / （意）朱里安诺著绘 ； 杨玲玲，彭懿译. -- 北京 ： 中信出版社，2016.3（2023.5 重印）
（遇见美好系列. 第1辑）
书名原文：Little Tad grows up
ISBN 978-7-5086-5695-3

Ⅰ. ①小… Ⅱ. ①朱… ②杨… ③彭… Ⅲ. ①儿童文学－图画故事－意大利－现代 Ⅳ. ①I546.85

中国版本图书馆CIP数据核字（2015）第277229号

小蝌蚪长大了

著　　绘：[意] 朱里安诺
译　　者：杨玲玲　彭　懿
出版发行：中信出版集团股份有限公司
（北京市朝阳区东三环北路27号嘉铭中心　邮编　100020）
承 印 者：山东韵杰文化科技有限公司

开　　本：889mm×1194mm　1/16　　印　　张：2　　字　　数：15千字
版　　次：2016年3月第1版　　印　　次：2023年5月第32次印刷
京权图字：01-2015-5640
书　　号：ISBN 978-7-5086-5695-3
定　　价：19.80元

出　　品：中信儿童书店
策划编辑：张昭　喻之晓　何嘉珞
责任编辑：喻之晓
营销编辑：王澜
封面设计：
内文排版：博远文化

服务热线：400-600-8099
网上订购：zxcbs.tmall.com
投稿邮箱：author@citicpub.com

小蝌蚪长大了

[意] 朱里安诺 著/绘

杨玲玲 彭懿 译

中信出版集团 | 北京

早春，青蛙妈妈在池塘里产下了卵，她觉得特别骄傲。

小小的、深色的卵在水中漂浮着。它们紧紧地依偎在一起，看上去就像一大串葡萄。每天，青蛙妈妈都会去看看，等待孩子们破壳而出。

小泰德努力了好几个小时，想从软壳里挣脱出来。突然，这颗卵开始扭动、摇晃，而且晃得越来越快、越来越快。“啪！”卵壳一下子爆裂开了，小泰德自由了！

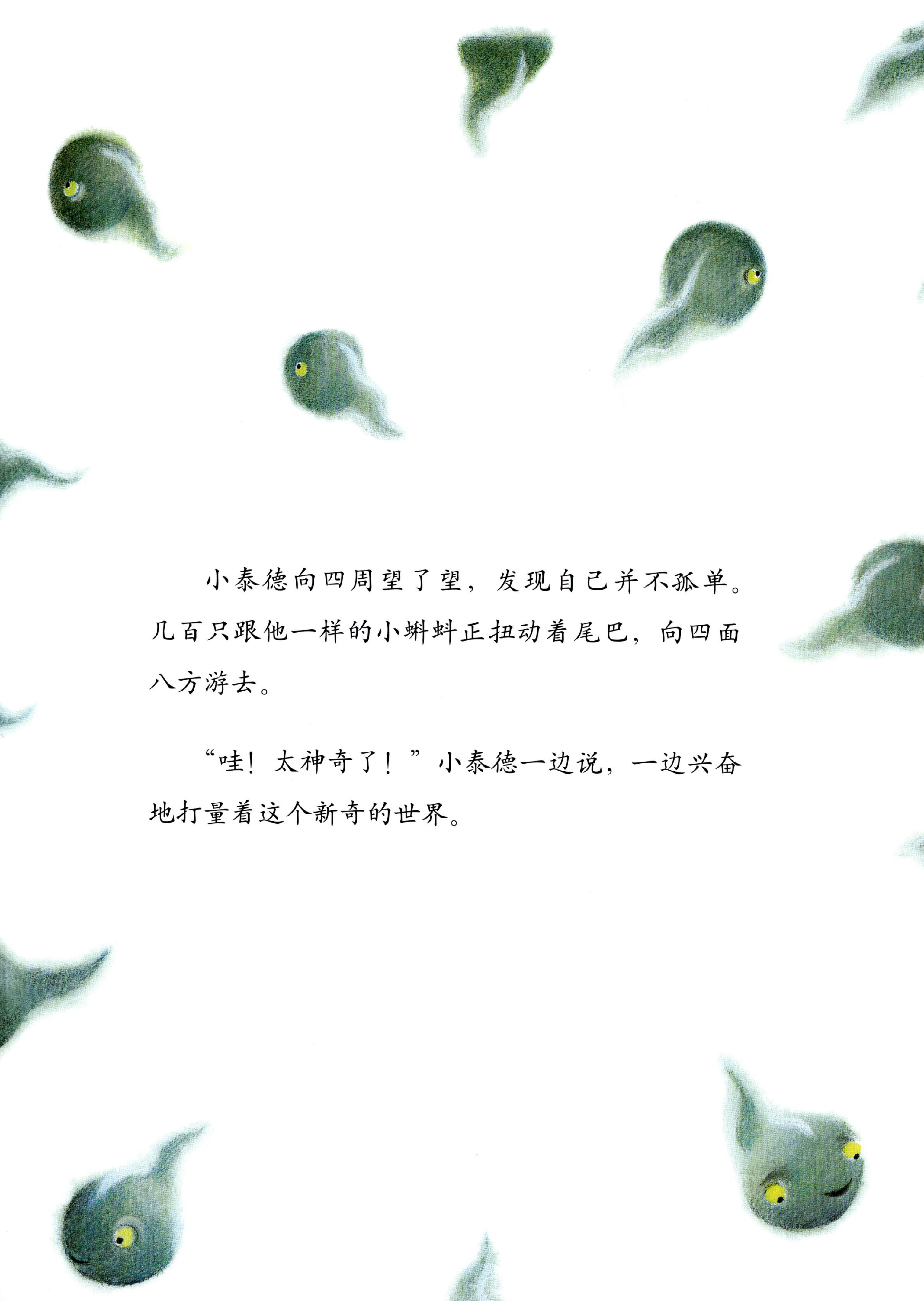

小泰德向四周望了望，发现自己并不孤单。几百只跟他一样的小蝌蚪正扭动着尾巴，向四面八方游去。

“哇！太神奇了！”小泰德一边说，一边兴奋地打量着这个新奇的世界。

小泰德的尾巴长得越来越强壮，他在水中游得也越来越快。

每天，妈妈都在睡莲叶上自豪地看着他。小泰德喜欢在水草间游来游去，他游得特别快，有时候，他尾巴掀起的水波甚至能让其他蝌蚪翻个大筋斗。

小泰德生活的池塘很美。他有很多朋友，他们一起玩游戏，比如水下棒球。

小泰德的尾巴用处可大了，不仅能帮他摆脱很多麻烦，还能帮他打败恶霸——是的，即使在池塘里，也总会碰到讨厌的家伙。

小泰德觉得他的生活非常完美。

他从没想到会发生任何变化……

一天早上，可怕的事情发生了。

一开始，泰德还以为他是在做梦——他的身体里长出了两条奇怪的东西。泰德使劲晃着脑袋，想让自己醒过来，但是他发现自己明明醒着！可是……那两条奇怪的东西还在那儿！

“出大事儿了！”泰德惊慌地喊道，“妈妈！我要变成怪物了！”

“这是你的腿呀，宝贝，”青蛙妈妈笑着说，“有一天你一定会为拥有它们而感到高兴的！”

蝾(róng)螈(yuán)* 阿姨无意中听到了他们的对话。“没事的，好孩子，”她说，“你只是长大了呀。”

“可我一点儿也不想长大！”泰德不高兴地说。

* 译者注：蝾螈又叫火蜥蜴，体形和蜥蜴相似，但身上没有鳞。

多了两条腿，泰德觉得可别扭了。然而，还没等他适应过来，不知道从哪里又冒出了两条腿！

“还有比我更倒霉的吗？”泰德自言自语地说。

接着，他发现自己的尾巴也越变越小！

“爷爷，爷爷！”泰德紧张地说，“我的尾巴快没了，我要变成怪物了！”

但爷爷只是笑笑。“尾巴不见了是很正常的事情呀，泰德，”爷爷说，“你只是长大了！”

“但是没有尾巴，我什么也做不了了！”泰德难过地说，“我一点儿也不想长大……”

池塘里的动物们都去安慰泰德。

“宝贝，你长大了就会明白，你再也不需要尾巴了。”蝾螈表哥说。

“有了腿,你能做好多厉害的事！”老虾爷爷一边跳舞一边说，他想逗泰德笑一笑。

“根本没人能理解我的感受！”泰德伤心地说。

“**我真的一点儿也不想长大！**”说完，他难过地哭了起来。

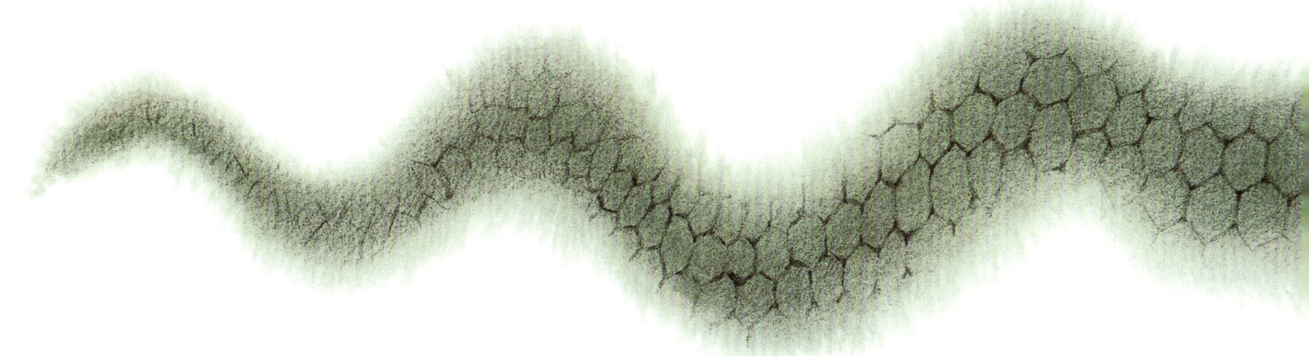

泰德想在池塘里散散心，可是却越来越难过。每当他看到小蝌蚪们做游戏时，心里就酸酸的，因为他也想要那样又长又漂亮的尾巴。

“你们根本不知道自己有多幸运。”泰德说，他不禁想起自己小时候的快乐时光。

泰德沉浸在美妙的回忆里，根本没注意到头顶上那道长长的黑影……

那是一条蛇。

“你就应该伤心……嘶嘶……你就应该难过！”狡猾的蛇吐着芯（xìn）子说，“他们都错了，腿根本没用。看看我，我没有腿，但是游得比谁都快！”

“我想让尾巴回来！”泰德说，“没了尾巴，我就游不快了。你能帮帮我吗？”

“当然了，”蛇回答道，“我有个秘诀，你靠近点儿，我才能告诉你。”

泰德靠了过去，蛇一下子张开了血盆大口！

泰德盯着蛇的大嘴，突然觉得害怕极了。他的心跳得越来越快，腿也开始瑟瑟发抖。

突然，蛇发出了很响的嘶嘶声，向泰德扑了过来。

这时，泰德的双腿本能地反应过来。他只花了一点点力气，便高高地跳出了水面，跳到池塘岸边去了！

大家都欢呼起来。

“哇哦！”泰德兴奋地说，“我的腿可真强壮啊！”

泰德四下里看了看，周围新奇的事物让他兴奋不已。“也许，长大也不是什么坏事！”泰德说着，高兴得跳了起来。

［意］朱里安诺

1965 年生于意大利，毕业于乌尔比诺艺术学校的动画专业。他的插画作品数量甚多，曾连续多年入选博洛尼亚国际儿童书展插画展、巴塞罗那插画双年展和布拉迪斯拉发国际插画双年展，并荣获意大利国家儿童文学大赛大奖，在英、法、德、美、墨西哥等地皆有出版。朱里安诺喜欢混合两种以上材料作画，让画面呈现细腻而和谐的多层次色彩。他创作的动物形象多以圆弧曲线来塑造，显得亲切可爱。作品有《一片披萨一块钱》《最好吃的蛋糕》等。

扫一扫
收听本书故事